C000000403

Robi, le petit robot

Éric Battut
Professeur des écoles

Illustré par
Marion Piffaretti

Cet ouvrage est conforme à la nouvelle orthographe

www.**orthographe-recommandee**.info

Nathan

Noé a un robot.

Il l'a appelé Robi.

Si Noé donne un ordre :

– Apporte du chocolat !

Robi, le robot, apporte

du chocolat.

Si Noé dit :

– Vite ! Un livre

de pirates !

Robi lui apporte le livre.

Si Noé réclame :

– La télé !

Robi allume la télé.

Mais mardi, Robi a dit
« stop ».

Il s'est dit :

– Noé n'est pas poli.

Et puis, Noé ne sort plus
du lit !

Alors Robi n'a plus obéi.

Noé a réclamé de la purée, Robi a ramené une écharpe.

Noé a réclamé une moto, Robi lui a apporté de la pommade.

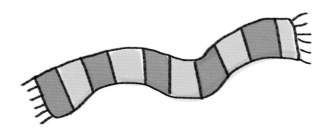

Noé s'est fâché.

Et, dans sa colère,

il a jeté Robi sur le tapis.

Patatras, Robi s'est étalé

et il s'est cassé.

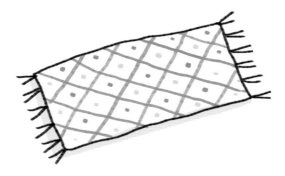

Samedi, Mila est arrivée :

– Salut Noé !

Mila s'est étonnée,

elle n'a pas vu Robi.

Noé lui a dit :

– La machine est à la

cave. Elle est cassée,

alors elle est inutile.

Mila est allée à la cave.

Robi est caché.

Mais Mila l'a vu.

Mila s'est approchée.
Elle a tapé sur l'armure
de Robi : «Toc toc toc!».
Robi n'a pas remué.

Mila a regardé les piles.

Puis, elle a bricolé.

Elle n'a pas vu de panne.

Mila a deviné :

– Robi n'est pas cassé,

il est triste.

Mila a eu une idée.

Elle a dorloté Robi.

Une larme a glissé sur le corps de métal du robot.

Alors, Robi a redémarré.

Pour le réparer,

il a suffi d'un petit bibi,

il a suffi d'être poli avec

lui…

Mila a dit à Noé :

– Le robot n'est pas une machine. C'est Robi, notre ami !

Alors Noé a dit :

– Tu me pardonnes,
Robi ?

Robi a ri :

– C'est sûr, je suis une

drôle de machine !

Qu'as-tu retenu de l'histoire ?

 Qui est Robi ?

C'est le robot de Noé.

 Cite deux choses réclamées par Noé à Robi.

Du chocolat, un livre de pirate, de la purée, une moto, allumer la télévision.

 Pourquoi Robi n'apporte-t-il plus à Noé ce qu'il demande ?

Parce qu'il en a assez.

 Pourquoi Mila est-elle étonnée quand elle arrive chez Noé ?

Car elle ne voit pas Robi dans la maison.

 Comment Mila répare-t-elle Robi ?

Elle le dorlote et lui parle gentiment.

 Est-ce qu'à la fin, Noé s'excuse ?

Oui, il demande pardon à Robi.

 À la fin, que dit Robi de lui-même ?

Il dit qu'il est une drôle de machine.

Création maquette et mise en pages : Céline Julien
© Nathan, 2017 – ISBN : 2-09-193229-3
N° éditeur : 10273458 - Dépôt légal : mars 2017
Achevé d'imprimer en France en mars 2021 par Pollina - 97604